中国经典获奖童话

根据上海美术电影制片厂同名影片改编

大闹天宫

④蟠桃盛会

若真 主编

中国人口出版社
China Population Publishing House
全国百佳出版单位

qí tiān dà shèng suí tài bái jīn xīng lái dào tiān tíng de líng xiāo
齐天大圣随太白金星来到天庭的灵霄
diàn　yù dì mìng dà shèng qù guǎn lǐ wáng mǔ niáng niang de pán táo yuán
殿,玉帝命大圣去管理王母娘娘的蟠桃园。

2

pán táo yuán wài hóng xiá shǎnshǎn jǐng
蟠桃园外红霞闪闪，景
sè yí rén lìng rén shén wǎng
色怡人，令人神往。

齐天大圣进了桃园后东看看西望望，遇上了蟠桃园内的土地公公。

4

tǔ di gōng gong zòng qǐ xiáng yún　　yǐn zhe dà shèng lái dào yí piàn táo lín jiān　　tā gào su

土地公公纵起祥云，引着大圣来到一片桃林间。他告诉

dà shèng zhè piàn táo lín sān qiān nián kāi yí cì huā　zài sān qiān nián jiē yí cì guǒ　rén ruò chī

大圣，这片桃林三千年开一次花，再三千年结一次果。人若吃

le　kě yǐ cháng shēng bù lǎo

了，可以长生不老。

dà shèng gēn zhe tǔ
大圣跟着土
di gōng gong jì xù wǎng qián zǒu
地公公继续往前走,
zhǐ jiàn qián fāng de táo lín yuè fā zhī fán
只见前方的桃林越发枝繁
yè mào shuò guǒ léi léi tǔ di gōng gong jiè
叶茂、硕果累累。土地公公介
shào shuō zhè lǐ de táo zi liù qiān nián kāi yí
绍说:"这里的桃子六千年开一
cì huā zài liù qiān nián jiē yí cì guǒ rén ruò chī
次花,再六千年结一次果。人若吃
le kě yǐ lì kè chéng xiān
了,可以立刻成仙。"

6

齐天大圣忍不住跳上树，想摘个
桃来尝尝。土地公公慌忙摇头摆手：
"大圣，这些仙桃是王母专为开蟠
桃盛会用的，现在可不能吃
啊！"大圣只好住了手。

tǔ di gōng gong lǐng zhe qí tiān dà shèng jì xù wǎng qián qù　lái dào　jiǔ qiān nián kāi yí

土地公公领着齐天大圣继续往前去，来到"九千年开一

cì huā　zài jiǔ qiān nián jiē yí cì guǒ　de táo lín　dà shèng chán de kǒu shuǐ dōu yào xià lái le

次花，再九千年结一次果"的桃林。大圣馋得口水都要下来了，

piān piān tǔ di gōng gong zài zhè lǐ ài shǒu ài jiǎo de　biàn xiǎng le gè fǎ zi bǎ tā zhī zǒu le

偏偏土地公公在这里碍手碍脚的，便想了个法子把他支走了。

大圣独自一人来到桃林间，放开肚皮吃起了仙桃。吃饱之后，他便跳到一棵桃树上打起盹儿来，别提多自在了！

zhè yì tiān wáng mǔ niáng niang zhǔn bèi kāi shè pán táo yàn kuǎn dài gè lù shén xiān

这一天，王母娘娘准备开设蟠桃宴款待各路神仙，

pài qī xiān nǚ qián qù pán táo yuán zhāi xiān táo

派七仙女前去蟠桃园摘仙桃。

谁知七仙女来到桃林一看，树上的桃子稀稀拉拉，只有几个毛蒂青皮的，不由得心生疑惑。

qī wèi xiān nǚ sì chù zhāng wàng zhōng yú kàn dào zhī tóu shang yǒu
七位仙女四处张望，终于看到枝头上有
yí gè bàn hóng bàn bái de dà táo zi biàn shēn shǒu qù zhāi
一个半红半白的大桃子，便伸手去摘。

12

bú liào dà shèng zhèng shuì zài táo
不料大圣正睡在桃
shang yí xià bèi jīng xǐng le
上，一下被惊醒了。

dà shèng dǎ tīng dào qī xiān nǚ zhāi táo shì zhǔn bèi zuò pán táo
大圣打听到七仙女摘桃是准备做蟠桃
yàn jiù wèn qǐ pán táo huì qǐng le nǎ xiē shén xiān tā tīng lái tīng
宴，就问起蟠桃会请了哪些神仙。他听来听
qù què méi tīng dào zì jǐ de míng zi yí xià bó rán dà nù
去，却没听到自己的名字，一下勃然大怒！

“玉帝老儿，你三番五次欺压俺老孙，俺与你势不两立。”大圣一边嚷嚷，一边使了个定身法，将七位仙女定在蟠桃园，自己则纵朵祥云往瑶池奔去。

15

dà shèng zǒu jìn yáo chí zhǐ jiàn
大圣走进瑶池，只见
chí nèi xiān wù liáo rào jiǔ xiāng sì yì
池内仙雾缭绕，酒香四溢，
zhuō shang bǎi mǎn zhēn xiū měi wèi yì guǒ jiā
桌上摆满珍馐美味、异果佳
yáo xiān tóng men zhèng jìn jìn chū chū de máng
肴。仙童们正进进出出地忙
lù zhe
碌着。

dà shèng bá xià yì zuǒ háo máo　biàn zuò yì
大圣拔下一撮毫毛，变作一
qún kē shuì chóng sǎ chū qù　jiāng xiān tóng men dōu nòng shuì
群瞌睡 虫 撒出去，将仙童们都弄睡
zháo le　rán hòu fàng kāi dù zi dà chī dà hē qǐ lái
着了，然后放开肚子大吃大喝起来。

几大杯美酒下肚，大圣不禁有些醉意。他冲天嚷嚷道："玉帝老儿，俺齐天大圣让你没有座位！……王母娘娘，俺叫你的蟠桃会开得再热闹些！"

huǎng hū zhōng dà shèng hǎo xiàng kàn jiàn le huā guǒ shān yú shì tā biàn chū yí gè
恍惚中，大圣好像看见了花果山。于是，他变出一个

bǎo dài jiāng zhuō shang de měi jiǔ jiā yáo tǒng tǒng shōu rù dài zhōng dǎ suàn dài huí qù gěi hóu
宝袋，将桌上的美酒佳肴统统收入袋中，打算带回去给猴

zǐ hóu sūn men pǐn cháng
子猴孙们品尝。

兜率宫

dà shèng yūn yūn hū hū
大圣晕晕乎乎
de sì chù luàn guàng bù zhī
地四处乱逛，不知
bù jué lái dào tài shàng lǎo jūn
不觉来到太上老君
de dōu shuài gōng
的兜率宫。

他跌跌撞撞地闯
进炼丹房,正巧太上老君
带着仙童外出讲道,丹房
里空无一人。

23

dà shèng yì yǎn jiù kàn jiàn le liàn dān lú shang yù dì
大圣一眼就看见了炼丹炉上"玉帝
yù yòng jīn dān jǐ gè dà zì lì kè qǔ chū jīn dān chī
御用金丹"几个大字，立刻取出金丹吃
le gè jīng guāng rán hòu xīn mǎn yì zú de zǒu chū tiān tíng huí
了个精光，然后心满意足地走出天庭回
huā guǒ shān qù le
花果山去了。